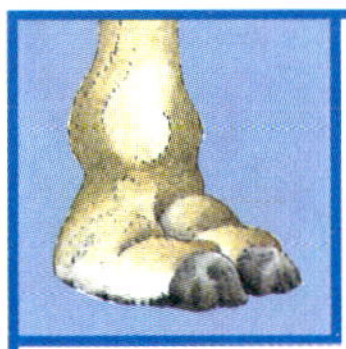

W0363272

MEIN GROSSES BIBEL TIERBUCH

Jane Yorke

Verlag Katholisches Bibelwerk
Schulte & Gerth

Tiere in der Bibel

Tiere begegnen uns häufig in der Bibel. Es sind Haus- und Nutztiere, die mit dem Menschen zusammen leben. Oder aber es sind wilde Tiere, denen die Menschen lieber aus dem Weg gehen. Hier erzählt uns die Bibel von „echten" Tieren, die die Erde bevölkern.

Tiere spielen auch eine große Rolle in den Geschichten, die die Bibel erzählt: Simson z. B. ist so stark wie ein Löwe; die Schlange symbolisiert das Böse; die Taube dagegen steht für das Reine und Friedliche; Jona verbringt drei Tage und Nächte im Bauch des großen Fisches ... Diese Geschichten wollen uns einen Sinn und eine Botschaft hinter dem Erzählten aufschließen. Sie sind bildlich und nicht naturwissenschaftlich zu verstehen.

Und nun viel Spaß beim Lesen und Schauen der Tiere der Bibel und ihrer Geschichten.

Ein Dorling Kindersley Buch
www.dk.com
Originaltitel: Big Book of Bible Animals
Copyright © 2000 by Dorling Kindersley Limited, London

Fotonachweis

(o = oben; u = unten; m = Mitte; l = links; r = rechts)
Ardea London Ltd.: G K Brown 15 ol; **Booth Museum:** 10 mr; **Bruce Coleman Ltd.:** Hans Reinhard 10 ul, Joe Mcdonald 22 l, John Shaw 21 ur; **Philip Dowell:** 16 ml, 17 u; **Pat und Joanna Maxwell**, Lodge Farm Arabian Stud, Oxon for „Persimmon": 13 ur; **N.H.P.A.:** B A Johns 28 m, B Jones und M Shimlock 6 ml, Daniel Heuclin 17 or; **Oxford Scientific Films:** David B Fleetham 29 ul, Eyal Bartov 14 ul, 14 r, Mark Hamblin 11 ol, 15 u, W V Norbeat 27 r; **Paris Zoo:** 11 ur; **Planet Earth Pictures:** Doug Perrine 3 u, 26 u; **Jerry Young:** 9 o, 28 mu

Für die deutsche Ausgabe
© 2000 Verlag Katholisches Bibelwerk, Stuttgart
Alle Rechte vorbehalten

Übersetzung aus dem Englischen:
Gudrun Böckermann
DTP: Satz & mehr, Besigheim
Druck und Bindung: Artes Gráficas Toledo, Spanien
D.L. TO: 715-2000

Verlag Katholisches Bibelwerk ISBN 3-460-30468-5
Schulte & Gerth ISBN 3-89437-683-X

Inhalt

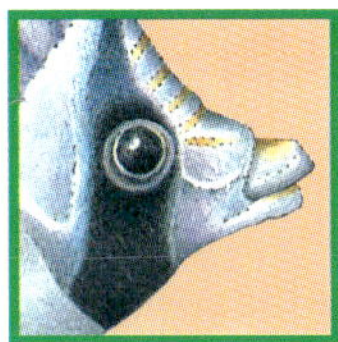

Gott erschafft die Tiere

Die Erschaffung der Welt

Die Bibel erzählt uns davon, wie Gott die Welt in sieben Tagen erschuf. Am fünften Tag schuf Gott alle Tiere des Wassers und alle Vögel des Himmels. Gott schuf den großen Wal und den kleinen Spatz. Er gab ihnen einen Platz zum Leben und genug zu essen.

Ein Delfin taucht aus dem Wasser auf, um durch sein Luftloch zu atmen.

Delfin

Delfine sind schnelle Schwimmer. Sie haben geschmeidige Körper und starke Flossen. Sie sind neugierige und kluge Tiere, die sich von Fischen ernähren.

Krabbe

Eine Krabbe ist ein Krebs, der am Sandstrand lebt. Er hat eine harte Rückenschale, um seinen weichen Körper zu schützen.

Krebse benutzen ihre Greifzangen, um Nahrung zu fangen.

Fische

Es gibt über 25000 verschiedene Fischarten in den Flüssen, Seen und Meeren unserer Welt. Die farbenprächtigsten Fische leben an Korallenriffen in warmen Gewässern.

Flamingo

Flamingos leben in großen Gruppen an Seen. Sie tauchen ihre Schnäbel kopfüber in das Wasser, um es wie mit einem Sieb nach Futter abzusuchen.

Der Flamingo hat lange Beine, um im seichten Wasser zu waten.

Kolibri

Kleine Kolibris können flügelschlagend in der Luft stehen bleiben und mit ihren langen Schnäbeln Nektar aus Blumen trinken.

Adler

Dieser große Raubvogel baut sein Nest in Gebirgsfelsen. Mit seinen mächtigen Flügeln gleitet er durch die Lüfte und stürzt sich mit scharfen Krallen auf kleine Tiere herab.

Der Adler hat gute Augen und einen scharfen Schnabel.

Tukan

Der Tukan lebt in den Regenwäldern Südamerikas. Er braucht seinen auffälligen, farbenfrohen Schnabel, um an versteckte Beeren heranzureichen und große Früchte durchzuschneiden.

Gott erschafft die Landtiere

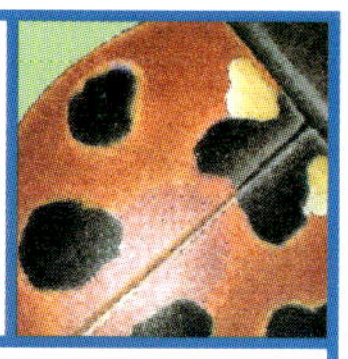

Gott erschafft die Welt

Als Gott die Welt erschuf, machte er am sechsten Tag alle Tiere auf der Erde – so erzählt die Bibel. Er schuf riesige Elefanten und kleine Käfer, wilde Löwen und zahme Rinder. Gott schuf alle Tiere, ob sie kriechen, hüpfen, klettern oder laufen. Er gab ihnen zu essen und sagte: Vermehrt euch!

Zebra

Zebras leben in Herden, geführt von einem Hengst. Sie sind in den grünen Savannen Afrikas zu Hause. Ihr Fell ist mit einem Streifenmuster bedeckt.

Das Streifenkleid der Zebras verwirrt ihre Feinde.

Marienkäfer

Der Marienkäfer hat rote Flügel mit schwarzen Punkten. Er ernährt sich von Blattläusen, die Bäume befallen.

Laubfrosch

Der kleine Laubfrosch versteckt sich zwischen grünen Pflanzen in sumpfigen Gebieten. Er hat klebrige Finger und Zehen, mit denen er sich an Ästen festhalten kann.

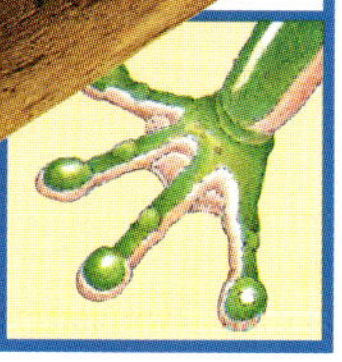

Krokodil

Krokodile sind schnelle Schwimmer und gefährliche Jäger. Mit ihrem riesigen Maul voller spitzer Zähne schnappen sie nach Beute.

Giraffe

Giraffen gehören zu den höchsten Tieren der Erde. Mit ihren langen Hälsen kommen sie auch an die Blätter hoher Bäume.

Eisbär

Der Eisbär lebt in der kalten Arktis am Nordpol. Sein zottiges und dickes weißes Fell hält ihn warm. Er kann gut schwimmen und schnell laufen.

Das weiße Fell des Bären verbirgt ihn vor seiner Beute.

Das Buschbaby

Das Buschbaby schläft tagsüber und jagt nachts. Mit seinen großen Augen und Ohren kann es in der Dunkelheit gut nach Insekten jagen.

Tiere in der Arche

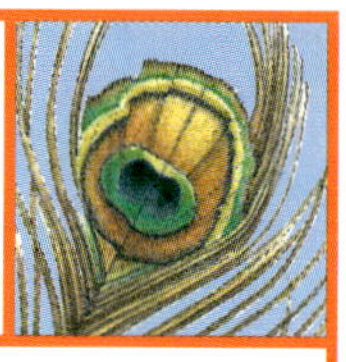

Die Arche Noach

Gott sagte zu Noach: „Bau dir eine Arche, ein großes Schiff, auf dem du, deine Familie und alle Tiere Platz haben. Es wird nämlich eine große Flut kommen, die alles auf Erden vernichtet.“ Noach tat, wie Gott ihm gesagt hatte. Von allen Tieren der Welt kam ein Paar auf die Arche. Sie lebten dort, bis die Flut vorbei war. Dann stiegen alle Menschen und Tiere aus der Arche aus und bevölkerten die Erde.

Der Pfau schlägt mit seinen Schwanzfedern ein Rad, um Weibchen zu beeindrucken.

Pfau

Der Pfauenhahn hat prächtig schillernde Schwanzfedern, die er zu einem Rad schlägt. Seine Brust schmücken blaue Federn. Das weibliche Tier, die Henne, wirkt dagegen unscheinbarer. Pfauen leben in Afrika und Indien.

Pfauhenne

Schmetterling

Aus einer unscheinbaren Raupe entsteht ein schöner Schmetterling. Sein Flügelpaar ist farbig gemustert und er flattert von Blüte zu Blüte.

Hirsch

Bei den Hirschen und Rehen tragen die männlichen Tiere Geweihe am Kopf. Die Hirschkühe oder Ricken sind kleiner und haben kein Geweih. Rotwild ernährt sich von Gras und ist sehr scheu.

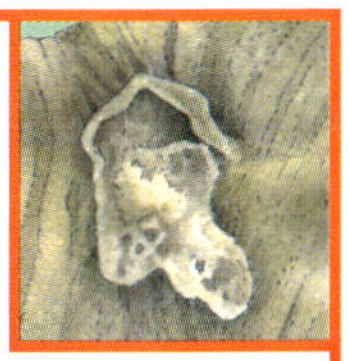

Elefanten

Elefanten sind die größten Landtiere der Erde. Mit ihrem Rüssel können sie nicht nur atmen und riechen, sondern auch Blätter und Zweige pflücken, sich mit Wasser bespritzen und laut trompeten.

Männliche Elefanten haben große Stoßzähne aus Elfenbein.

Esel und Pferde

Jesu Einzug in Jerusalem

Zu biblischen Zeiten waren Esel und Pferde die wichtigsten Reit- und Transporttiere. Auch Jesus ritt auf einem Esel nach Jerusalem ein. Dort wurde er jubelnd begrüßt. Die Menschen legten ihm Palmenzweige vor die Füße und feierten ihn als ihren König.

Esel gibt es in allen Größen und Farben. Sie sind zähe und genügsame Tiere.

Auch die kleinen Eselfohlen können schon kleine Lasten oder Kinder tragen.

Esel

Das Tier mit dem grauen Fell und den langen Ohren wird schon lange von Menschen als Nutztier gehalten. Esel sind ausdauernd, klettern gut und schleppen schwere Lasten. Die Kreuzung zwischen Pferd und Esel nennt man Maulesel.

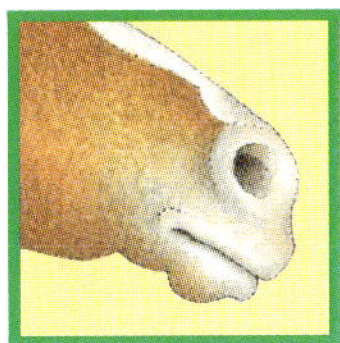

Reise nach Betlehem

Als Maria und Josef nach Betlehem zogen, nahmen sie auch einen Esel mit. Der Esel trug ihr Gepäck. Und Maria, die mit Jesus schwanger war, konnte auf ihm reiten.

Esel stoßen einen lauten und langgezogenen Schrei aus: i-ah

Esel

Vom Propheten Bileam erzählt die Bibel, dass sein Esel zu ihm sprach. Denn nur der Esel sah den Engel, der Bileam ein Wort Gottes mitteilen wollte.

Am Schilfmeer

Als Mose mit den Israeliten aus Ägypten flüchtete, verfolgte sie der Pharao mit seinen Reitern und Wagen. Die Soldaten des Pharao fuhren auf zweiräderigen Kriegswagen, die von Pferden gezogen wurden. Die Pferde wurden gut versorgt, denn sie waren kostbar.

Pferde

Wie reich und mächtig ein König war, zeigte sich an der Anzahl seiner Pferde. König Salomo soll 40 000 Pferde gehabt haben. Man war stolz auf die starken und edlen Tiere.

Schwarze Pferde heißen Rappen, weiße nennt man Schimmel.

Schafe und Ziegen

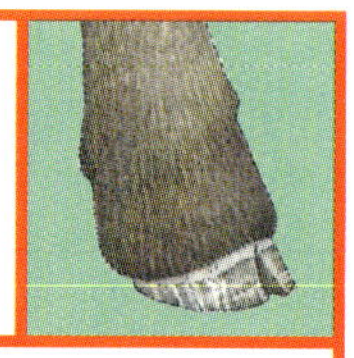

Geburt Jesu

Hirten wachten bei ihren Schafen auf der Weide, als eine Engelschar vom Himmel kam und sang: „Der Retter ist euch heute in Betlehem geboren!“ Die Hirten waren die ersten, die das Jesuskind in der Krippe besuchten.

Schafe und Ziegen

Hirten zogen zu biblischen Zeiten mit ihren Schaf- und Ziegenherden umher. Sie waren auf der Suche nach frischem Gras und Wasser. Die Hirten schützen ihre Herde vor wilden Tieren. Jesus vergleicht sich mit einem guten Hirten, der für seine Schafe sorgt.

Der Steinbock ist ein guter Kletterer.

Steinbock

Steinböcke sind Wildziegen, die in den Bergen leben. Esau jagte diese Tiere, um seinem Vater Isaak ein schmackhaftes Essen zu bereiten.

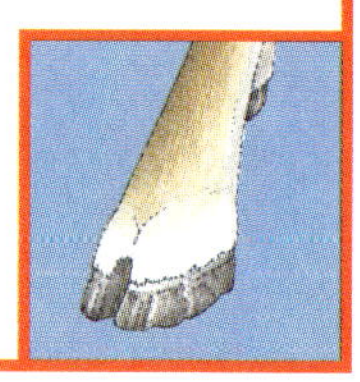

Schafe

Jesus erzählte einmal von einem Hirten, der sein Schaf verlor und es überall suchte, bis er es wieder fand. Damit wollte Jesus zeigen, dass Gott sich um alle Menschen sorgt.

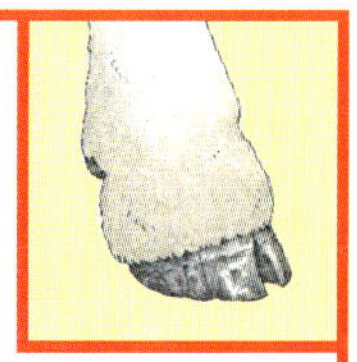

Lämmer

Früher wurden weiße und unschuldige Lämmer Gott als Opfer dargebracht. Auch Jesus vergleicht man mit einem Lamm, das uns von der Schuld befreite.

Widder

Schafe versorgen die Menschen mit Milch und Fleisch, Häuten und Wolle für die Kleiderherstellung. Männliche Tiere tragen Hörner, aus denen Musikinstrumente gemacht wurden. Bei der Eroberung der Stadt Jericho bliesen die Israeliten auf solchen Hörnern.

Widder haben lange gekrümmte Hörner, die sie im Kampf mit Artgenossen einsetzen.

Kamele und Rinder

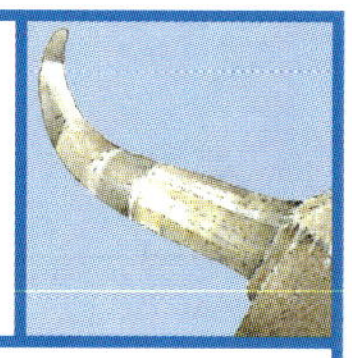

Die Sterndeuter

Zur Zeit, als Jesus geboren wurde, sahen drei weise Männer im Osten einen Stern aufgehen. Sie glaubten: Der Retter, der neue König, ist geboren. Auf ihren Kamelen folgten sie dem Stern, der sie nach Betlehem führte. Dort fanden sie Jesus in der Krippe.

Das Tier mit einem Höcker heißt Dromedar.

Kamele können tagelang ohne Wasser durch die Wüste wandern.

Kamel

Händler und Kaufleute reisten früher viel umher, um ihre Waren zu verkaufen. Sie durchquerten dabei mit Kamelkarawanen die heißen und trockenen Steppen. Die Bibel erzählt, dass Josef als Sklave an eine Händlerkarawane verkauft wurde.

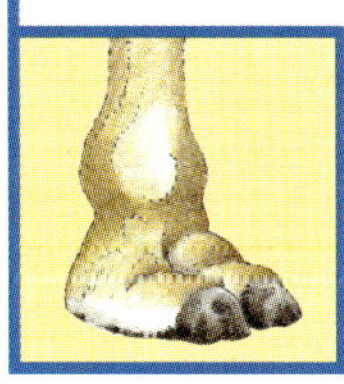

Der Traum des Pharao

Der Pharao träumte einmal, dass sieben magere Kühe sieben fette Kühe verschlangen. Josef deutete seinen Traum: Nach sieben guten Jahren werden sieben schlechte Jahre folgen. Dann hat niemand mehr etwas zu essen.

Ochse

Ochsen sind männliche Rinder. Sie sind sehr starke Tiere. Sie halfen früher dem Bauern bei seiner Arbeit. Sie zogen den Pflug und drehten die Mühlen.

Kalb

Rind

Rinder werden in der Bibel häufig erwähnt. Sie versorgen die Menschen mit Milch, Fleisch und Leder. Vielleicht haben die Israeliten sich deshalb in der Wüste ein goldenes Kalb gegossen und es angebetet.

Kühe geben Milch, aus der man Käse machen kann.

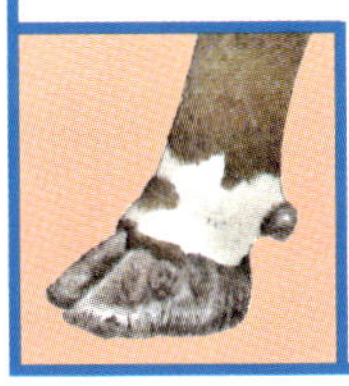

Wilde Tiere

Daniel in der Löwengrube

König Darius ließ Daniel in eine Löwengrube werfen, weil er zu Gott gebetet hatte und ihm treu war. Doch Gott war mit Daniel, sodass die wilden und hungrigen Löwen ihm kein Haar krümmten.

Der große Braunbär ernährt sich von wilden Früchten und Beeren.

Bärenkind

Löwenkind

Bär

Wenn hungrige Bären kein Futter finden, greifen sie auch Schafe und Ziegen an. David, der kleine Hirtenjunge, kämpfte gegen Bären und Löwen, um seine Herde zu schützen.

Löwen leben in Familienverbänden zusammen; eine Gruppe von Löwen nennt man Rudel. Die Löwinnen gehen auf die Jagd, um ihre Kleinen mit Fleisch zu versorgen.

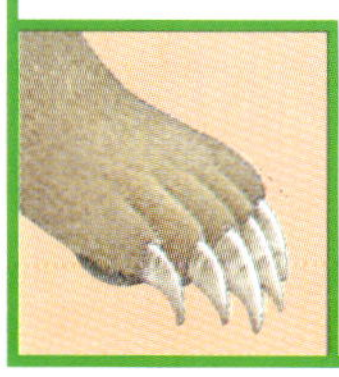

Löwin

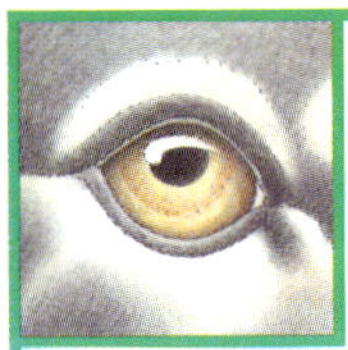

Wolf

Wölfe sind gefürchtete Räuber. Sie leben in Rudeln zusammen und reißen Schafe und Ziegen in der Nacht.

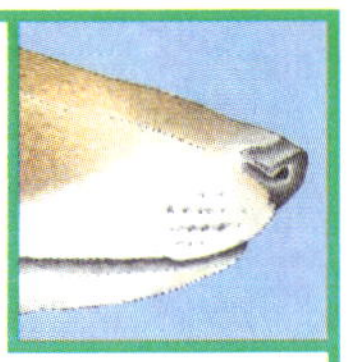

In der Bibel werden „Schakale" auch „Füchse" genannt. Füchse haben eine spitze Schnauze und leben in einem Bau unter der Erde.

Schakal

Schakale sind hundeartige Raubtiere, die in Gruppen jagen. In der Bibel wird erzählt, dass der Held Simson 300 Schakalen Fackeln an die Schwänze band, um die Felder der Feinde abzubrennen.

Löwe

Im Land der Bibel lebten auch Löwen. Der Löwe gilt als König der Tiere, er ist stark und Furcht erregend. Simson war so stark, dass er ohne Waffen einen Löwen besiegen konnte.

Männliche Löwen sind schlechte Jäger. Sie haben eine dichte Mähne und beeindrucken damit ihre Gegner.

Vögel

In der Arche

Während der großen Flut bedeckte Wasser die ganze Erde. Als es endlich aufhörte zu regnen, ließ Noach eine Taube fliegen. Sie sollte schauen, ob es schon ein trockenes Plätzchen auf Erden gab. Doch die Taube kam wieder zurück. Nach sieben Tagen flog eine zweite Taube aus und kehrte mit einem Olivenzweig zurück. Noach wartete noch sieben Tage und ließ eine dritte Taube fliegen. Sie kehrte nicht mehr zurück. Da wusste Noach, dass er aus der Arche aussteigen konnte.

Rabe

Zu den Raben zählen die Kohlraben, Saatkrähen und Elstern. Sie sind Allesfresser mit schwarz glänzenden Federn. Dem Propheten Elija brachten Raben in der Wüste zu essen.

Taube

Johannes taufte Jesus im Jordan. Als Jesus aus dem Wasser stieg, kam der Geist Gottes wie eine Taube über ihn. Die Taube ist ein christliches Symbol für Frieden, Liebe und Vergebung.

Tauben haben weiche Federn und kräftige Flügel.

Huhn

Auch zur Zeit Jesu hielten die Menschen schon Hühner. Sie aßen ihre Eier und ihr Fleisch. Als Petrus den Hahn am Morgen krähen hörte, erkannte er, dass er Jesus dreimal verraten hatte.

Hahn

Küken

Wachtel

Diese kleinen Vögel lassen sich in großen Schwärmen am Rande der Wüste nieder. Als Mose und die Israeliten in der Wüste Hunger litten, fingen sie die Wachteln ein.

Schlangen, Echsen und Frösche

Adam und Eva

Die ersten Menschen lebten im Paradies und waren glücklich. Sie durften von allen Früchten im Garten essen, nur vom Baum in der Mitte hatte Gott ihnen verboten zu nehmen. Das Böse kam in Gestalt einer Schlange und verführte Adam und Eva dazu, von der verbotenen Frucht zu essen. Weil sie Gott nicht treu waren, mussten sie das Paradies verlassen.

Die Boa hält sich mit ihrem geschmeidigen und muskulösen Körper an Bäumen fest.

Schlange

Schlangen bewegen sich kriechend und schlängelnd vorwärts. Sie können nicht hören und nur schlecht sehen. Deswegen benutzen sie ihre gespaltene Zunge, um Dinge zu ertasten.

Gecko

Kleine Eidechsen wie diese Geckos fanden die Israeliten oft in ihren Hütten und Häusern. Sie wohnten sogar in Königspalästen – sagt ein biblisches Sprichwort. Es sind flinke Tiere, die es gerne warm haben.

Eidechsen können auf der Flucht ihren Schwanz abwerfen.

Frosch

Frösche entwickeln sich aus Kaulquappen. Sie haben kräftige Sprungbeine. Wenn der Nil viel Wasser führte, kamen auch die Frösche nach Ägypten. Die Bibel erzählt von einer Froschplage: Die Frösche kamen aus dem Fluss und drangen in alle Häuser, Küchen und Betten ein.

Eidechse

Es gibt viele Sorten von Echsen: den Gecko, den Salamander, das Chamäleon. Eidechsen ernähren sich von Insekten und Kleintieren. Die Israeliten aßen diese Tiere nicht.

Kobra

Die Kobra ist eine gefährliche Giftschlange. Sie lässt ihren Hals anschwellen, wenn sie angreift. Schlangen können große Tiere auf einmal herunterschlucken, weil ihr Magen sehr dehnbar ist.

Viper

Wüstenschlangen, wie die Viper, jagen nachts nach Echsen und Mäusen. Bei Tag verkriechen sie sich. Die Israeliten wurden von Giftvipern gebissen, als sie die Wüste durchquerten.

Insekten

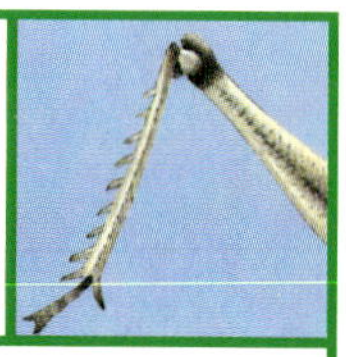

Die ägyptischen Plagen

Die Israeliten waren Sklaven in Ägypten. Gott befreite sie und führte sie in ein fruchtbares Land. Wenn sie die Geschichte ihrer Befreiung erzählen, sprechen die Israeliten von den zehn Plagen, die Gott über Ägypten schickte. Der Pharao und alle Ägypter wollten die Plagen, die ihr Land verwüsteten, los sein und ließen die Israeliten ziehen.

Heuschrecke

Heuschrecken können zur Plage werden, wenn sie sich in großen Schwärmen auf die Felder stürzen. Sie fressen dann alles Getreide auf und die Menschen müssen hungern. Johannes der Täufer aß in der Wüste Heuschrecken und wilden Honig.

Heuschrecken haben lange Hinterbeine, mit denen sie weit springen können.

Biene
Ein Bienenvolk besteht aus der Königin, den Arbeiterinnen und den männlichen Drohnen. Honig von wilden Bienen war früher ein wichtiges Lebensmittel, da es noch keinen Zucker gab, um Speisen zu süßen. Simson fand ein Bienennest in einem Löwengerippe.

Bienen füllen die Waben ihrer Nester mit Nektar, den sie aus Blumen und Blüten saugen.

Ameise
Ameisen sind ständig damit beschäftigt, an ihrem Nest zu bauen und Vorräte zu sammeln. Jedes Tier in dem großen Ameisenstaat hat seine Aufgabe. Die Bibel lobt die fleißigen Ameisen.

Fliegenplage
Die Bibel erzählt von einer Fliegenplage. Ganze Schwärme von Fliegen kamen nach Ägypten. Sie setzten sich auf Menschen und Tiere und bissen sie. Fliegen haben große Augen und fast durchsichtige Flügel.

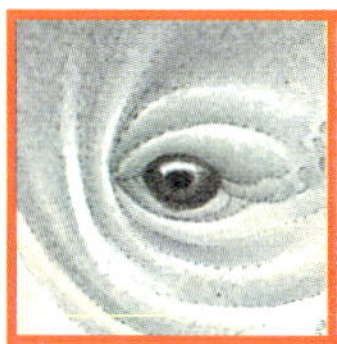

Fische

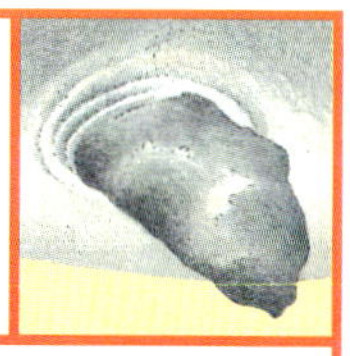

Der Prophet Jona und der große Fisch

Der Prophet Jona erhielt von Gott einen Auftrag. Da er ihn nicht erfüllen wollte, lief er weg. Während eines Sturms auf dem Meer fiel Jona ins Wasser. Ein großer Fisch verschluckte ihn. Jona war drei Tage und Nächte im Bauch des Fisches. Da betete er zu Gott. Endlich spie der Fisch ihn an Land und Jona tat, was Gott ihm sagte.

Wal

Vielleicht war der große Fisch, der Jona verschluckte, ein Wal. Wale sehen zwar aus wie Fische, sie sind aber Säugetiere. Sie bringen lebende Junge zur Welt. Wale verständigen sich untereinander mit hohen Tönen.

Wale tauchen auf, um zu atmen. Beim Auftauchen spritzen sie Wasserfontänen.

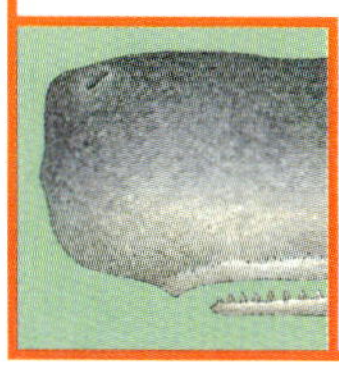

Barsch

Fische haben schuppige, glitschige Körper. Mit ihren Flossen schwimmen und steuern sie und halten das Gleichgewicht. Fische atmen durch Kiemen. Fisch war ein Grundnahrungsmittel in Israel. Jesus half seinen Freunden beim Fischen.

Barsche leben in Frischwasser-Seen, z.B. im See Gennesaret.

Hecht

Süßwasserfische leben in Seen und Flüssen. Salzwasserfische wie Seehechte, Heringe und Makrelen dagegen leben im Meer. Zur Zeit Jesu gab es viele Fischer. Sie fischten meistens nachts.

Seehechte leben im warmen Mittelmeer.

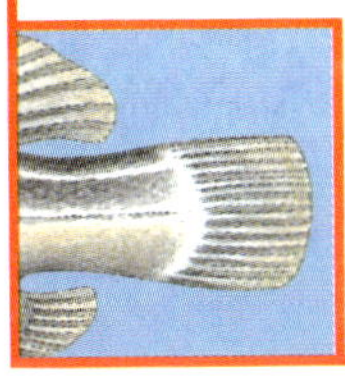

Jesus speist die Menschen

Zu Jesus kamen viele Menschen und er sprach zu ihnen über Gott. Als es Abend wurde, waren alle hungrig. Doch niemand hatte Essen dabei, es gab nur fünf Brote und zwei Fische. Da segnete Jesus das Essen und verteilte es. Und alle Menschen wurden satt. Als die Jünger die Reste einsammelten, blieben sogar noch zwölf Körbe übrig.

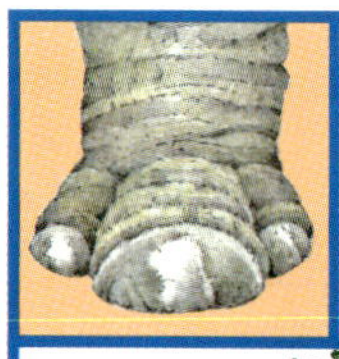

Die Schöpfung bewahren

Adam und Eva

Gott schuf die Menschen und die Tiere. Den Menschen trug er auf, gut mit allen Lebewesen umzugehen. Die Menschen sollen Gottes Schöpfung pflegen und bewahren. Heute ist es wichtiger denn je, auf eine saubere Umwelt zu achten. Auch viele Tierarten brauchen unseren Schutz, damit sie nicht für immer aussterben.

Sammler jagen seltene Schmetterlinge.

Jäger töten Nashörner wegen ihres kostbaren Horns.

Gejagte Tiere

Viele wilde Tiere sind in der Gefahr ausgerottet zu werden. Jäger töten sie wegen ihres Fells oder ihrer Hörner. Gott aber will, dass wir alle Lebewesen achten.

Tiger werden wegen ihres schönen Fells gejagt.

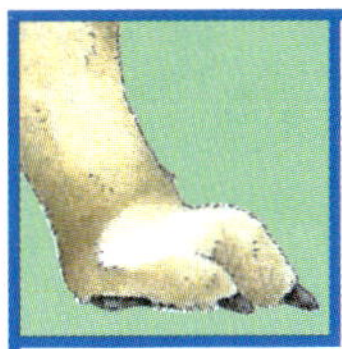

Hunde und Katzen brauchen Pflege und Erziehung, aber auch Spiel und Ruhezeiten.

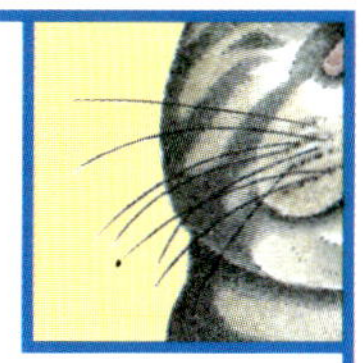

Haustiere

Zahme Tiere, die in unseren Häusern leben, brauchen regelmäßige Pflege und Betreuung. Sie sind auf Menschen angewiesen, darum müssen wir uns um sie kümmern.

Ein Platz für Tiere

Viele Tiere sterben, weil ihre Umwelt von Menschen zerstört wird: Flüsse und Meere sind verschmutzt, Wälder werden abgeholzt. Wir müssen auch die Umwelt der Tiere pflegen.

Vögel sterben, wenn sie vergiftete Fische fressen.

Seerobben werden krank, wenn das Meer verschmutzt ist.

Gorillas brauchen große Wälder.

Für Tiere sorgen

Viele wilde Tierarten sind in Gefahr auszusterben. Mit ihnen verlieren wir einen Teil von Gottes Schöpfung. Deshalb ist es wichtig, gut für die Tiere und ihre Umwelt zu sorgen.

Register: Tiere in der Bibel

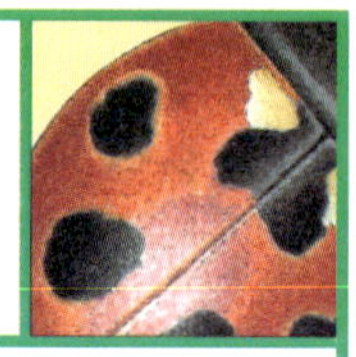

Hier werden alle Tiere dieses Buches genannt. Viele von ihnen kommen in der Bibel vor. Du kannst dort nachlesen, was über sie geschrieben steht.